A-Z WINCHESTER

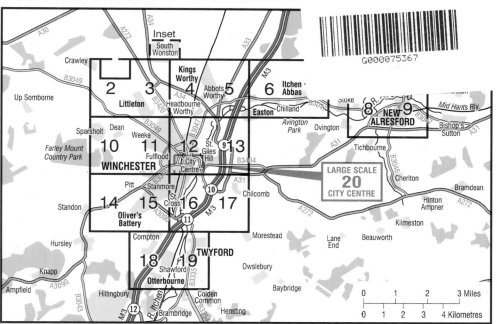

Reference

Motorway	**M3**	
A Road	A33	
Under Construction		
Proposed		
B Road	B3047	
Dual Carriageway		
One Way Street		→
Traffic flow on A Roads is indicated by a heavy line on the drivers left.		
Pedestrianized Road		
Restricted Access		

Track	:=:=:=
Footpath	– – – –
Residential Walkway	··········
Railway — Level Crossing — Station	
Built Up Area	MEWS LA.
Posttown Boundary	
By arrangement with the Post Office	
Postcode Boundary	
Within Posttown	
Map Continuation	12

Car Park Selected	P
Church or Chapel	†
Fire Station	■
Hospital	H
House Numbers A & B Roads only	113 98
Information Centre	i
National Grid Reference	⁴45
Police Station	▲
Post Office	★
Toilet	▽
Toilet With Facilities for the Disabled	♿

Scale

1:15,840
4 inches to 1 mile

0 ... ¼ ... ½ ... ¾ Mile

0 ... 250 ... 500 ... 750 Metres ... 1 Kilometre

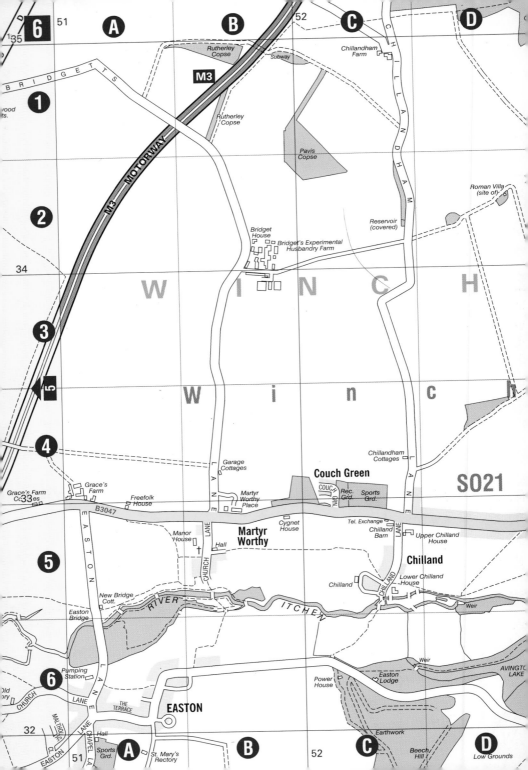

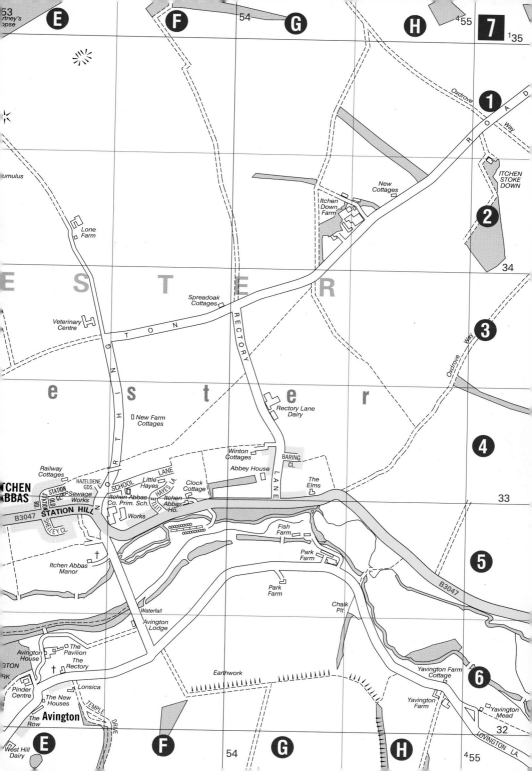

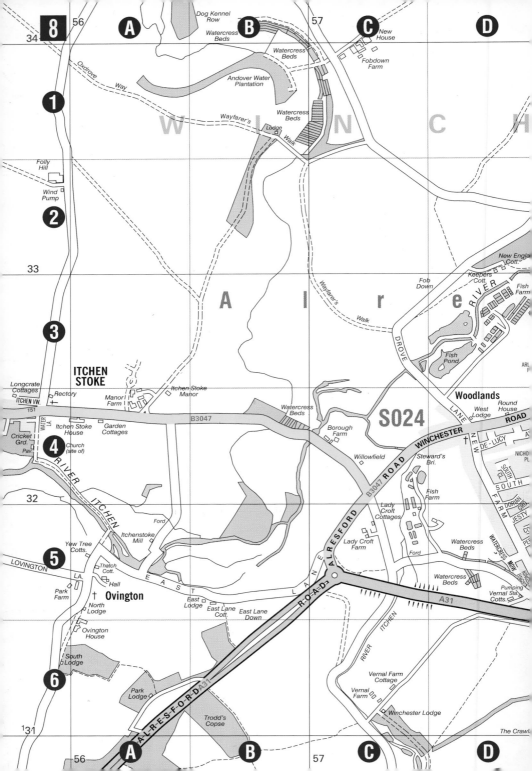

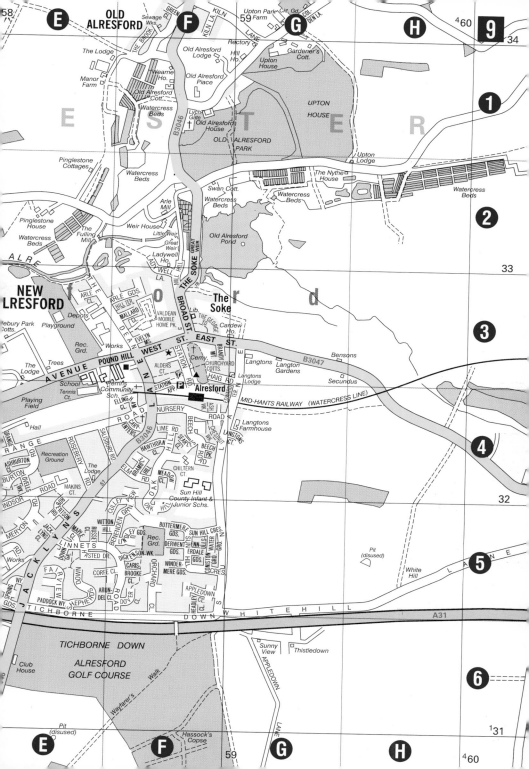

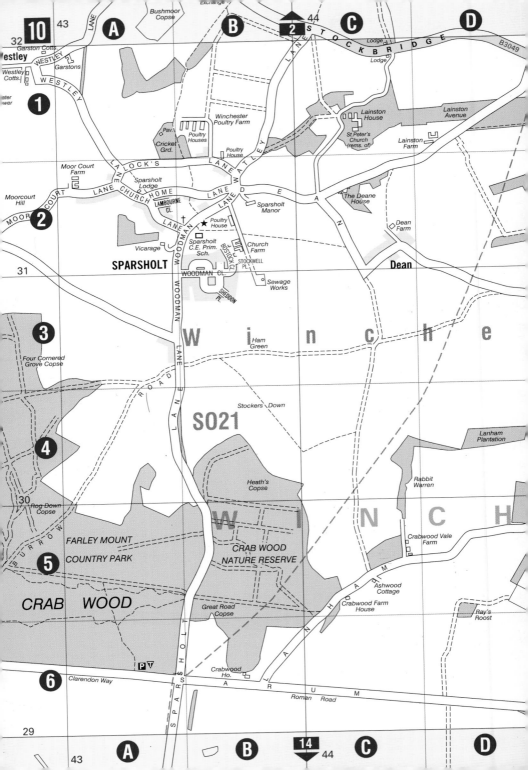

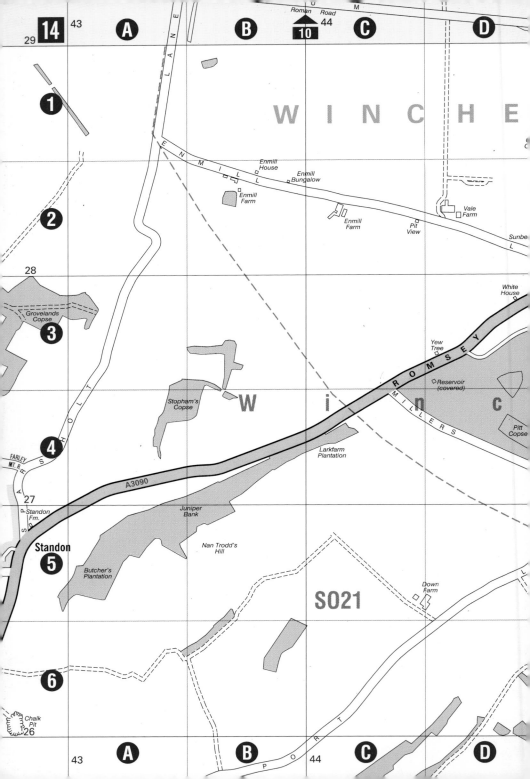

A
B
C
D

1

2

28

3

4

27

5

6

26

W I N C H E

Roman Road
▲ 10

Enmill House

Enmill Bungalow

Enmill Farm

Vale Farm

Enmill Farm

Pit View

Sunbe

White House

Grovelands Copse

Yew Tree

ROMSEY

Reservoir (covered)

W

i

n

c

Pitt Copse

MILLERS

Stopham's Copse

Larkfarm Plantation

FARLEY MT. R.

A3090

Juniper Bank

Nan Trodd's Hill

Standon Fm.

Standon

Butcher's Plantation

SO21

Down Farm

Chalk Pit

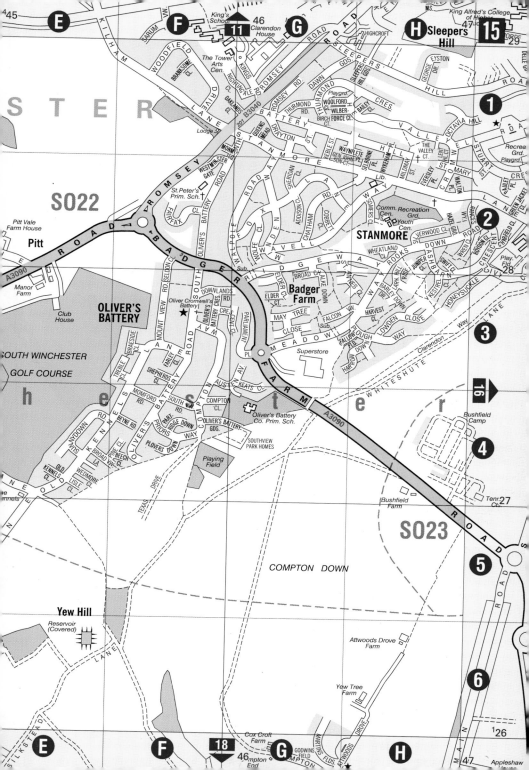

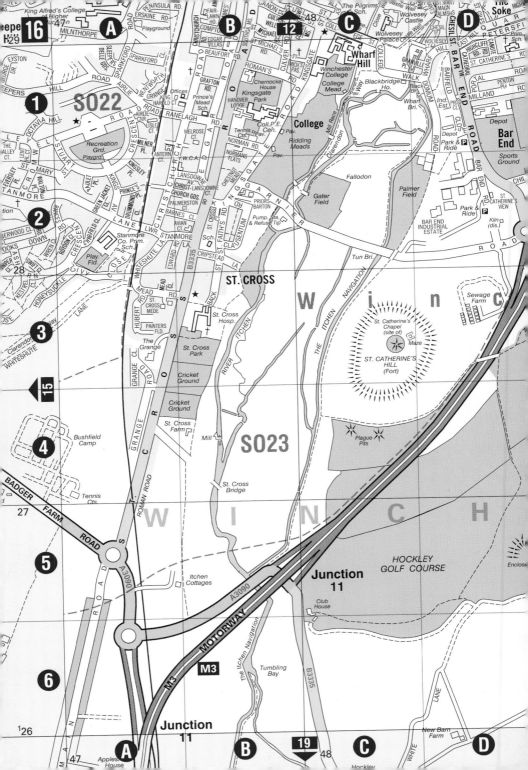

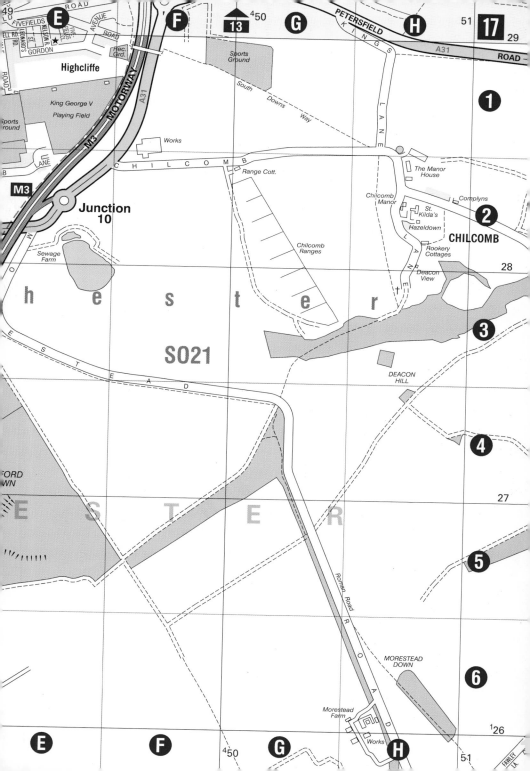

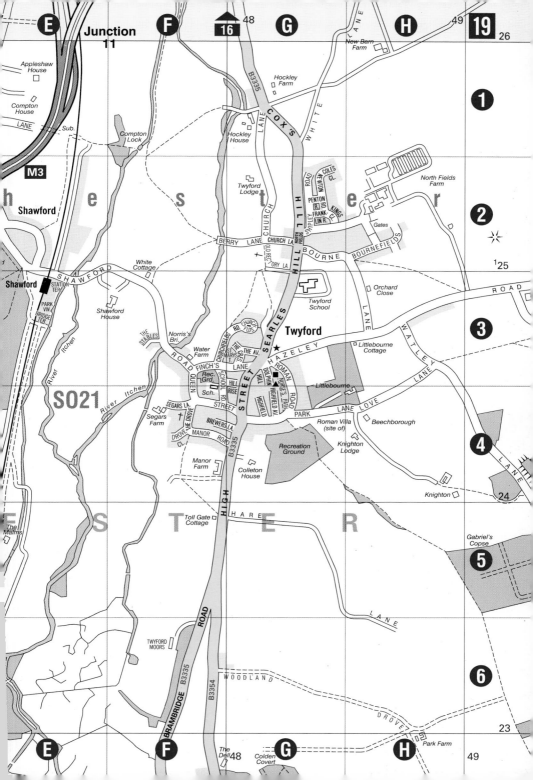

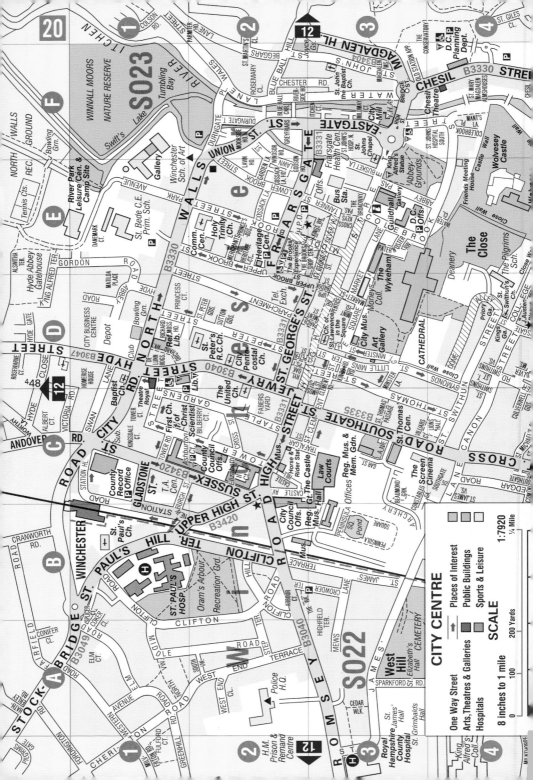

INDEX TO STREETS

HOW TO USE THIS INDEX

1. Each street name is followed by its Posttown or Postal Locality and then by its map reference; e.g. Abbey Hill Rd. *Win* —3B **12** is in the Winchester Posttown and is to be found in square 3B on page **12**. The page number being shown in bold type.
A strict alphabetical order is followed in which Av., Rd., St., etc. (though abbreviated) are read in full and as part of the street name; e.g. Cedarwood appears after Cedar Wlk. but before Chalk Ridge.

2. Streets and a selection of Subsidiary names not shown on the Maps, appear in the index in *Italics* with the thoroughfare to which it is connected shown in brackets; e.g. *Alton Ct. Win* —3C **12** (off Northlands Dri.)

3. The page references shown in brackets indicate those streets that appear on the large scale map page **20**;
e.g. Abbey Pas. *Win* —6C **12** (3E **20**) appears in square 6C on page **12** and also appears in the enlarged section in square 3E on page **20**.

GENERAL ABBREVIATIONS

All : Alley	Clo : Close	Ind : Industrial	Pl : Place
App : Approach	Comn : Common	Junct : Junction	Rd : Road
Arc : Arcade	Cotts : Cottages	La : Lane	S : South
Av : Avenue	Ct : Court	Lit : Little	Sq : Square
Bk : Back	Cres : Crescent	Lwr : Lower	Sta : Station
Boulevd : Boulevard	Dri : Drive	Mnr : Manor	St : Street
Bri : Bridge	E : East	Mans : Mansions	Ter : Terrace
B'way : Broadway	Embkmt : Embankment	Mkt : Market	Up : Upper
Bldgs : Buildings	Est : Estate	M : Mews	Vs : Villas
Bus : Business	Gdns : Gardens	Mt : Mount	Wlk : Walk
Cen : Centre	Ga : Gate	N : North	W : West
Chu : Church	Gt : Great	Pal : Palace	Yd : Yard
Chyd : Churchyard	Grn : Green	Pde : Parade	
Circ : Circle	Gro : Grove	Pk : Park	
Cir : Circus	Ho : House	Pas : Passage	

POSTTOWN AND POSTAL LOCALITY ABBREVIATIONS

Abb W : Abbots Worthy	*Flow* : Flowerdown	*Littn* : Littleton	*Spar* : Sparsholt
Alfd : Alresford	*Head W* : Headbourne Worthy	*Mart W* : Martyr Worthy	*Twy* : Twyford
Bis S : Bishops Sutton	*Hurs* : Hursley	*Old A* : OldAlresford	*Win* : Winchester
Col C : Colden Common	*It Ab* : Itchen Abbas	*Ott* : Otterbourne	*Wor D* : Worthy Down
Comp : Compton	*It S* : Itchen Stoke	*Shaw* : Shawford	
Estn : Easton	*King W* : Kings Worthy	*S Won* : South Wonston	

INDEX TO STREETS

Chilbolton Av. *Win* —5G **11**
Chilbolton Ct. *Win* —6G **11**
Chilcomb La. *Win* —2D **16**
(in two parts)
Chillandham La. *It Ab* —1C **6**
Chilland La. *Mart W* —5C **6**
Chiltern Ct. *Alfd* —4F **9**
Christchurch Gdns. *Win* —2B **16**
Christchurch Rd. *Win* —2A **16**
(in two parts)
Christmas Hill. *S Won* —1B **2**
Churchfields. *Twy* —3G **19**
Churchfields Rd. *Twy* —3F **19**
Churchill Clo. *King W* —2D **4**
Churchill Cres. *Alfd* —4F **9**
Church La. *Estn* —6H **5**
Church La. *King W* —5E **5**
Church La. *Littn* —5E **3**
Church La. *Mart W* —5B **6**
Church La. *Spar* —2A **10**
Church La. *Twy* —2G **19**
Churchyard Cotts. *Alfd* —3F **9**
City Bus. Cen. *Win*
　　　　　　—5C **12** (1D **20**)
City Rd. *Win* —5B **12** (1C **20**)
Clausentum Rd. *Win* —2B **16**
Clease Way. *Comp* —2C **18**
Cliff Way. *Comp* —3D **18**
Clifton Hill. *Win* —5B **12** (2B **20**)
Clifton Rd. *Win* —5A **12** (1A **20**)
Clifton Ter. *Win* —5B **12** (2B **20**)
Close, The. *Win* —6C **12** (4E **20**)
Cloverbank. *King W* —1D **4**
Coate Dri. *Wor D* —1G **3**
Cobbett Clo. *Win* —2G **15**
Coker Clo. *Win* —5A **12** (1A **20**)
Colbourne Ct. *Win* —3C **12**
Colden La. *Old A* —1G **9**
Colebrook Pl. *Win* —6D **12** (4F **20**)
Colebrook La. *Win* —6C **12** (3E **20**)
Coles Clo. *Twy* —2G **19**
Coles Mede. *Ott* —6B **18**
(in two parts)
College St. *Win* —6C **12** (4D **20**)
College Wlk. *Win* —1C **16**
Colley Clo. *Win* —2C **12**
Colson Clo. *Win* —5D **12**
Colson Rd. *Win* —5D **12** (1F **20**)
Compton Clo. *Win* —4F **15**
Compton Rd. *Win* —6B **12** (4C **20**)
Compton St. *Comp* —1C **18**
Compton Way. *Win* —4F **15**
Coney Grn. *Win* —3C **12**
Conifer Clo. *Win* —4A **12**
Coniston Gro. *Alfd* —5F **9**
Connaught Rd. *Wor D* —1G **3**
Conservatory, The. *Win*
　　　　　　—6D **12** (4F **20**)
Constables Ga. *Win* —3C **20**
Coopers Clo. *S Won* —1H **3**
Coppice Clo. *Win* —4G **11**
Copse Clo. *Ott* —5C **18**
Coram Clo. *Win* —3C **12**
Corfe Clo. *Alfd* —5E **9**
Cornerways. *King W* —5E **5**
Cossack La. *Win* —5C **12** (2E **20**)
Cossack La. Ho. *Win* —2E **20**
Couch Grn. *Mart W* —4C **6**
Courtenay Rd. *Win* —3C **12**
Court Rd. *King W* —6E **5**
Covey Way. *Alfd* —5D **8**
Cowley Dri. *Wor D* —1H **3**
Cox's Hill. *Twy* —1G **19**
Craddock Ho. *Win* —4E **13**
Cranbourne Dri. *Ott* —6B **18**
Cranbury Clo. *Ott* —6B **18**
Cranworth Rd. *Win* —4B **12**
Crescent Clo. *Win* —3F **15**
Crescent, The. *Twy* —3G **19**
Cripstead La. *Win* —2B **16**
Cromwell Rd. *Win* —2H **15**
Cross Keys Pas. *Win*
Cross St. *Win* —5B **12** (2C **20**)
Crossways. *Shaw* —4D **18**
Croucher's Croft. *Win* —4G **11**

Crowder Ter. *Win* —6B **12** (3B **20**)
Culley View. *Alfd* —5F **9**
Culver M. *Win* —6C **12** (4D **20**)
Culver Rd. *Win* —1B **16** (4C **20**)
Culverwell Gdns. *Win*
　　　　　　—6B **12** (4C **20**)
Cundell Way. *King W* —2D **4**

Dale Clo. *Littn* —6E **3**
Danemark Ct. *Win* —5C **12** (1E **20**)
Danes Rd. *Win* —4C **12**
Dawn Gdns. *Win* —1G **15**
Dean Clo. *Win* —3G **11**
Deane Down Drove. *Littn* —1F **11**
Dean La. *Spar & Win* —2B **10**
Dean, The. *Alfd* —3E **9**
Dell Rd. *Win* —1E **17**
De-Lucy Av. *Alfd* —4D **8**
De Lunn Bldgs. *Win* —1D **20**
Denham Clo. *Win* —3B **12**
Denham Ct. *Win* —3C **12**
Dennison Dri. *Twy* —4G **19**
Derwent Gdns. *Alfd* —5F **9**
Devenish Rd. *Win* —2H **11**
Dickenson Wlk. *Alfd* —5F **9**
Dolphin Hill. *Twy* —3G **19**
Dome All. *Win* —6C **12** (4D **20**)
Domum Rd. *Win* —1D **16**
Donnington Ct. *Win* —4C **12**
Dorian Gro. *Alfd* —5D **8**
Dover Clo. *Alfd* —5E **9**
Down Farm La. *Head W* —3G **3**
Down Ga. *Alfd* —5E **9**
Downlands Rd. *Win* —3F **15**
Downlands Way. *S Won* —1B **2**
(in two parts)
Downside Rd. *Win* —3F **11**
Downs Rd. *S Won* —1B **2**
Drayton St. *Win* —1G **15**
Drove Clo. *Twy* —4F **19**
Drove La. *Alfd* —3C **8**
Drove, The. *Twy* —4F **19**
Drummond Clo. *Win* —2A **16**
Duke's Dri. *Win* —6D **6**
Durngate Pl. *Win* —5D **12** (2F **20**)
Durngate Ter. *Win* —5D **12** (2F **20**)
Dyson Dri. *Win* —3C **12**

Earle Ho. *Win* —5F **13**
Eastacre. *Win* —4A **12**
Eastgate St. *Win* —6D **12** (3F **20**)
East Hill. *Win* —1D **16**
East La. *Alfd* —5A **8**
Easton La. *Win & Estn* —4E **13**
Easton La. Bus. Pk. *Win* —5D **12**
East St. *Alfd* —4F **9**
E. Woodhay Rd. *Win* —1H **11**
Ebden Rd. *Win* —5D **12**
Edgar Rd. *Win* —1B **16** (4C **20**)
Edgar Vs. *Win* —1B **16**
Edinburgh Rd. *King W* —2D **4**
Edington Rd. *Win* —3C **12**
Edward Rd. *Win* —2A **16**
Edward Ter. *Alfd* —4F **9**
Egbert Rd. *Win* —4C **12**
Elder Clo. *Win* —3G **15**
Eling Clo. *Win* —2H **11**
Elizabeth Clo. *King W* —2D **4**
Ellingham Clo. *Alfd* —4F **9**
Elm Ct. *Win* —5A **12** (1A **20**)
Elm Rd. *Alfd* —4F **9**
Elm Rd. *Win* —5A **12** (1A **20**)
Enmill La. *Win* —2B **14**
Ennerdale Gdns. *Alfd* —5F **9**
Erasmus Pk. *Win* —4E **13**
Erskine Rd. *Win* —6A **12**
Evelyn M. *Alfd* —3F **9**
Eversley Pl. *Win* —2H **15**

Fabers Yd. *Win* —5B **12** (2C **20**)
Fairclose Dri. *Littn* —6F **3**
Fairdown Clo. *Win* —6E **13**

Fairfax Clo. *Win* —2F **15**
Fairfield Rd. *Shaw* —4D **18**
Fairfield Rd. *Win* —4A **12**
Fairlawn Ho. *Win* —6B **12**
Fairview. *Alfd* —5E **9**
Falcon View. *Win* —3G **15**
Fallow Field. *Win* —3G **15**
Faringdon Ct. *Win* —3C **12**
(off Northlands Dri.)
Farley Clo. *Win* —3G **15**
Farley Mt. Rd. *Hurs* —4A **14**
Fawley La. *More* —6H **17**
Felmer Dri. *King W* —1E **5**
Field Clo. *Comp* —3C **18**
Field End. *King W* —4E **5**
Field Way. *Comp* —3C **18**
Finchs La. *Twy* —3F **19**
Fiona Clo. *Win* —5E **13**
Firmstone Rd. *Win* —5E **13**
Firs Cres. *King W* —3D **4**
Fivefields Clo. *Win* —6E **13**
Fivefields Rd. *Win* —6E **13**
Fleming Rd. *Win* —2G **11**
Flowerdown Caravan Pk. *Littn*
　　　　　　—6G **3**
Forbes Rd. *King W* —3D **4**
Fordington Av. *Win* —5H **11**
Fordington Rd. *Win* —5A **12**
Fox La. *Win* —2G **15**
Frampton Way. *King W* —4E **5**
Francis Gdns. *Win* —3D **12**
Frankel Wlk. *S Won* —1D **2**
Franklin Rd. *Twy* —2G **19**
Fraser Rd. *King W* —3D **4**
Friarsgate. *Win* —5C **12** (2E **20**)
Fromond Rd. *Win* —2G **11**
Froxfield Clo. *Win* —1H **11**
Fulford Ct. *Win* —5A **12**
Furley Clo. *Win* —5D **12**
Fyfield Way. *Littn* —6F **3**

Garbett Rd. *Win* —5E **13**
Garden La. *Win* —5C **12** (2E **20**)
Garnier Rd. *Win* —2B **16**
Gar St. *Win* —6B **12** (3C **20**)
Gatekeeper Clo. *Win* —5E **13**
General Johnson Ct. *Win* —1G **15**
George Eyston Dri. *Win* —1H **15**
George Yd., The. *Alfd* —4F **9**
Gillingham Clo. *King W* —4E **5**
Gladstone St. *Win* —5B **12** (1C **20**)
Godson Ho. *Win* —2F **20**
Godwin Clo. *Win* —2G **11**
Godwins Field. *Comp* —1C **18**
Goldfinch Way. *S Won* —1D **2**
Gordon Av. *Win* —1E **17**
Gordon Rd. *Win* —5C **12** (1E **20**)
Goring Field. *Win* —4G **11**
Grafton Rd. *Win* —3B **16**
Grand Pde. *Littn* —6G **3**
Grange Clo. *Alfd* —4E **9**
Grange Clo. *Win* —3A **16**
Grange Rd. *Alfd* —4E **9**
Grange Rd. *Win* —4A **16**
Granville Pl. *Win* —1D **16**
Grayshott Clo. *Win* —1H **11**
Gt. Field Rd. *Win* —2H **11**
Gt. Minster St. *Win*
　　　　　　—6C **12** (3D **20**)
Gt. Weir. *Alfd* —2F **9**
Greenacres Dri. *Ott* —6C **18**
Green Clo. *Head W* —6C **4**
Green Clo. *Old A* —1F **9**
Green Clo. *S Won* —1D **2**
Greenhill Av. *Win* —5A **12**
Greenhill Clo. *Win* —5H **11**
Greenhill Rd. *Win* —6H **11** (1A **20**)
Greenhill Ter. *Win* —5A **12**
Green Jacket Clo. *Win* —2A **16**
Green Pk. Clo. *Win* —3D **12**
Greyfriars. *Win* —2F **20**
Grosvenor Dri. *Win* —3D **12**
Grovelands Rd. *Win* —4F **11**
Grove Rd. *Shaw* —4C **18**

Groves Clo. *S Won* —1B **2**

Haig Rd. *Alfd* —3F **9**
Halls Farm Clo. *Win* —2A **12**
Hall Way, The. *Littn* —6F **3**
Hambledon Clo. *Win* —1H **11**
Hammond's Pas. *Win* —3C **20**
Hampton La. *Win* —4G **11**
Hanover Lodge. *Win* —1B **16**
Hare La. *Twy* —5G **19**
Harestock Clo. *Win* —6H **3**
Harestock Rd. *Win* —2G **11**
Harrow Down. *Win* —3H **15**
Harvest Clo. *Win* —3H **15**
Harwood Pl. *King W* —3E **5**
Hasted Dri. *Alfd* —5E **9**
Hatherley Rd. *Win* —4A **12**
Hawthorn Clo. *Alfd* —4F **9**
Haydn Clo. *King W* —3D **4**
Hazeldene Gdns. *It Ab* —4E **7**
Hazeley Rd. *Twy* —3G **19**
Hazel Gro. *Win* —2H **15**
Headley Clo. *Alfd* —5F **9**
Heritage Ct. *Win* —2E **20**
Hickory Dri. *Win* —1H **11**
Highcliffe Rd. *Win* —1D **16**
Highcroft. *Win* —6H **11**
Highfield. *Twy* —4G **19**
Highfield Av. *Twy* —4G **19**
Highfield Ter. *Win* —6B **12** (3B **20**)
Highmount Clo. *Win* —6D **12**
High St. Twyford, *Twy* —5F **19**
High St. Winchester. *Win*
(in three parts) —5B **12** (2C **20**)
High Trees Dri. *Win* —3A **12**
Highways Rd. *Comp* —4C **18**
Hilden Way. *Littn* —6E **3**
Hillier Way. *Win* —3C **12**
Hill Rise. *Twy* —3G **19**
Hillside. *Littn* —6F **3**
Hillside Clo. *Win* —3G **11**
Hillside Rd. *Win* —4G **11**
Hill Ter. *Alfd* —3F **9**
Hilltop. *Littn* —6G **3**
Hinton Fields. *King W* —5E **5**
Holdaway Clo. *King W* —4E **5**
Hollands Clo. *Littn* —6F **3**
Home La. *Spar* —2A **10**
Homerise Ho. *Win* —1D **20**
Honeysuckle Clo. *Win* —3H **15**
Hookpit Farm La. *King W* —3D **4**
Hornbeam Clo. *S Won* —1D **2**
Hubert Rd. *Win* —3A **16**
Hunt Clo. *S Won* —1H **3**
Hurdle Way. *Comp* —1C **18**
Hussey Clo. *Win* —3C **12**
Hyde Abbey Rd. *Win*
　　　　　　—5C **12** (1D **20**)
Hyde Chu. La. *Win* —4C **12**
Hyde Chu. Path. *Win* —4C **12**
(off Saxon Rd.)
Hyde Clo. *Win* —4B **12**
Hyde Ga. *Win* —4C **12**
Hyde Ho. Gdns. *Win* —4C **12**
Hyde Lodge. *Win* —4C **12**
Hyde St. *Win* —5C **12** (1D **20**)

Ilex Clo. *King W* —3D **4**
Imber Rd. *Win* —5E **13**
Itchen Clo. *Win* —3F **20**
Itchen View. *It S* —4A **8**
Ivy Clo. *Win* —2A **16**

Jacklyns Clo. *Alfd* —5E **9**
Jacklyns La. *Alfd* —5E **9**
Jesty Rd. *Alfd* —5D **8**
Jewry St. *Win* —5C **12** (2D **20**)
Juniper Clo. *Win* —2H **15**

Keats Clo. *S Won* —1C **2**
Keats Clo. *Win* —3G **15**

Keble St. *Win* —1G **15**
Kenilworth Ct. *Win* —3C **12**
  (off Northlands Dri.)
Kennel La. *Littn* —1F **11**
Kerrfield. *Win* —6H **11**
Kerrfield M. *Win* —6H **11**
Kestrel Clo. *Win* —3H **15**
Kilham La. *Win* —6E **11**
Kiln La. *Old A* —1F **9**
  (in two parts)
King Alfred Pl. *Win* —4C **12**
King Alfred Ter. *Win* —4C **12**
King Harold Ct. *Win* —1A **16**
Kings Av. *Win* —2A **16**
Kings Clo. *King W* —2D **4**
Kings Clo. *Twy* —2G **19**
Kingsdale Ct. *Win* —5B **12** (1C **20**)
Kingsgate Rd. *Win* —2B **16**
Kingsgate St. *Win* —1C **16** (4D **20**)
Kings Head Yd. *Win*
  —6C **12** (3D **20**)
Kings La. *Win* —6G **13**
Kingsley Bungalows. *Alfd* —5D **8**
Kingsley Pl. *Win* —2A **16**
Kings Rd. *Win* —1G **15**
Kings Wlk. *Win* —3E **20**
Kings Worthy Ct. *King W* —6E **5**
Knight Clo. *Win* —4F **15**
Kynegils Rd. *Win* —3H **11**

Lady Well La. *Alfd* —2F **9**
Lainston Clo. *Win* —3G **11**
Lambourne Clo. *Spar* —2A **10**
Langton Clo. *Win* —4A **12**
Langtons Ct. *Alfd* —4G **9**
Lanham La. *Win* —6B **10**
  (in two parts)
Lankhills Rd. *Win* —3B **12**
Lansdowne Av. *Win* —2B **16**
Lansdowne Ct. *Win* —2B **16**
Lantern Ct. *Win* —1A **16**
Larch Clo. *King W* —2D **4**
Larg Dri. *Win* —1G **11**
Lark Hill Rise. *Win* —3H **15**
Lawn Ho. *Win* —2E **20**
Lawn Rd. *Littn* —6F **3**
Lawn St. *Win* —5C **12** (2E **20**)
Legion La. *Win* —4E **5**
Leicester Way. *Win* —4E **13**
Lent Hill Ct. *Win* —1H **15**
Lime Rd. *Alfd* —4F **9**
Limetree Wlk. *Win* —5F **13**
Lindley Gdns. *Alfd* —5F **9**
Links Rd. *Win* —4H **11**
Linnets Rd. *Alfd* —5E **9**
Lions Hall. *Win* —6B **12** (4C **20**)
Lisle Clo. *Win* —4E **15**
Lisle Ct. *Win* —1A **16**
Litchfield Rd. *Win* —1H **11**
Lit. Hayes La. *It Ab* —5F **7**
Lit. Minster St. *Win*
  —6C **12** (3D **20**)
Littleton La. *Spar & Lttn* —6E **3**
Littleton Rd. *Littn* —1F **11**
Loader Clo. *King W* —4E **5**
Lock's La. *Spar* —2A **10**
London Rd. *Head W* —1D **12**
Longbarrow Clo. *S Won* —1D **2**
Longfield Rd. *Win* —5E **13**
Longhouse Grn. *Win* —5E **13**
Long Wlk. *Estn* —2G **13**
Lovedon La. *King W* —2E **5**
Love La. *Twy* —4H **19**
Lovell Clo. *S Won* —1D **2**
Lovells Wlk. *Alfd* —4E **9**
Lovett Wlk. *Win* —2G **11**
Lovington La. *It Ab* —6H **7**
Lovington La. *Ovi* —5A **8**
Lowden Clo. *Win* —3H **15**
Lwr. Brook St. *Win* —5C **12** (2E **20**)
Lower Rd. *S Won* —1D **2**
Lwr. Stanmore La. *Win* —2A **16**
Lynch Clo. *Win* —3A **12**
Lyndhurst Clo. *Win* —1H **11**

Lynford Av. *Win* —3A **12**
Lynford Way. *Win* —3A **12**
Lynn Way. *King W* —5E **5**
Lynwood Ct. *Win* —3B **12**

Magdalen Hill. *Win*
  —6D **12** (3F **20**)
Magdalen M. *Win* —3F **20**
Main Rd. *Comp* —2D **18**
Main Rd. *Littn* —5E **3**
Main Rd. *Ott* —6B **18**
Makins Ct. *Alfd* —4E **9**
Mallard Clo. *Alfd* —3F **9**
Malmesbury Gdns. *Win* —3H **11**
Malpass Rd. *Wor D* —1G **3**
Malthouse Clo. *Estn* —6H **5**
Manningford Clo. *Win* —2C **12**
Manor Clo. *Win* —5D **12**
Manor Rd. *Twy* —4F **19**
Mants La. *Win* —6D **12** (4F **20**)
Maple Clo. *Alfd* —5E **9**
Maple Dri. *King W* —3D **4**
Market La. *Win* —6C **12** (3D **20**)
Market St. *Win* —6C **12** (3D **20**)
Markson Rd. *S Won* —1B **2**
Martins Fields. *Comp* —1C **18**
Matilda Pl. *Win* —5C **12** (1D **20**)
May Tree Clo. *Win* —3G **15**
Meadow Clo. *Alfd* —4F **9**
Meadowcroft Clo. *Ott* —6C **18**
Meadowland. *King W* —4D **4**
Meadow Way. *Win* —3G **15**
Mead Rd. *Win* —3A **16**
Melrose Ct. *Win* —1B **16**
Merchants Pl. *Win* —5C **12** (2E **20**)
Meryon Rd. *Alfd* —5E **9**
Mews La. *Win* —6A **12** (3A **20**)
Middle Brook St. *Win*
  —5C **12** (3E **20**)
Middle Rd. *Win* —5A **12** (1A **20**)
Mildmay Ct. *Win* —3F **20**
Mildmay St. *Win* —2H **15**
Milland Rd. *Win* —1D **16**
Millers La. *Win* —4C **14**
Mill Hill *Alfd* —3F **9**
Mill La. *Abb W* —5F **5**
Milner Pl. *Win* —1A **16**
Milnthorpe La. *Win* —6A **12**
Milverton Rd. *Win* —5H **11**
Minden Way. *Win* —2G **15**
Minstead Clo. *Win* —1H **11**
Minster La. *Win* —6C **12** (3D **20**)
Mint Yd. *Win* —3D **20**
Mitford Rd. *Alfd* —4D **8**
Momford Rd. *Win* —4F **15**
Monks Rd. *Win* —4C **12**
Monmouth Sq. *Win* —1F **15**
Moor Ct. La. *Spar* —2A **10**
Moorside Ho. *Win* —2F **20**
Moorside Rd. *Win* —4E **13**
Morestead Rd. *Win* —3E **17**
Mornington Dri. *Win* —3G **11**
Mortimer Clo. *King W* —5D **4**
Moss La. *Win* —5D **12**
Mountbatten Clo. *Win* —2A **12**
Mountbatten Pl. *King W* —3E **5**
Mount Clo. *Win* —2A **12**
Mt. Pleasant. *King W* —5D **4**
Mt. View Rd. *Win* —3F **15**

Nations Hill. *King W* —4D **4**
Nelson Rd. *Win* —6E **13**
Newburgh St. *Win* —5B **12** (1B **20**)
New Farm Ind. Est. *Alfd* —5D **8**
New Farm Rd. *Alfd* —4D **8**
New Rd. *Littn* —5F **3**
Newton Rd. *Twy* —2G **19**
Nicholson Rd. *Alfd* —4D **8**
Nickel Clo. *Win* —5D **12**
Nightingale Clo. *Win* —1F **15**
Norlands Dri. *Ott* —5C **18**
Norman Rd. *Win* —1B **16**
Normans. *Win* —1B **16**

Normans Flats. *Win* —1B **16**
Northbrook Av. *Win* —6D **12**
Northbrook Clo. *Win* —6E **13**
Northbrook Ct. *Win* —6E **13**
North Dri. *Littn* —6F **3**
North Fields. *Twy* —2G **19**
N. Hill Clo. *Win* —3B **12**
Northington Rd. *It Ab* —4F **7**
Northlands Dri. *Win* —3C **12**
North Rd. *King W* —2D **4**
North View. *Win* —5A **12** (1A **20**)
North Walls. *Win* —5C **12** (1D **20**)
Nuns Rd. *Win* —4C **12**
Nuns Wlk. *Win* —3D **12**
  (in two parts)
Nursery Gdns. *Win* —5H **11**
Nursery Rd. *Alfd* —4F **9**
Nurse's Path. *Twy* —4G **19**

Oak Hill. *Alfd* —4F **9**
Oaklands. *S Won* —1C **2**
Oaklands Clo. *Win* —1F **15**
Oakwood Av. *Ott* —5C **18**
Oakwood Clo. *Ott* —5C **18**
Octavia Hill. *Win* —1H **15**
Oglander Rd. *Win* —3C **12**
Old Gdns. *Win* —3B **12**
Old Hillside Rd. *Win* —3G **11**
Old Kennels Clo. *Win* —4E **15**
Old Kennels La. *Win* —4E **15**
Old Parsonage Ct. *Win* —6B **18**
Old Rectory Gdns. *Abb W* —5F **5**
Old Rectory La. *Twy* —2G **19**
Old Station App. *Win*
  —6D **12** (3F **20**)
Old Station Rd. *It Ab* —5E **7**
Oliver's Battery Cres. *Win* —3F **15**
Oliver's Battery Gdns. *Win* —4F **15**
Oliver's Battery Rd. N. *Win* —2F **15**
Oliver's Battery Rd. S. *Win* —4F **15**
Orchard Clo. *Alfd* —5F **9**
Orchard Clo. *S Won* —1B **2**
Orchard Rd. *S Won* —1B **2**
Orchard Wlk. *Win* —3H **11**
  (Fromond Rd.)
Orchard Wlk. *Win* —1D **20**
  (Jewry St.)
Orient Rd. *Win* —2G **11**
Otterbourne Ho. *Ott* —6B **18**
Otterbourne Ho. Gdns. *Ott* —6B **18**
Otterbourne Rd. *Comp* —3D **18**
Owens Rd. *Win* —4B **12**

Paddock Clo. *S Won* —1D **2**
Paddock, The. *King W* —5E **5**
Paddock Way. *Alfd* —5E **9**
Painters Field. *Win* —3A **16**
Palmerston Ct. *Win* —2B **16**
Palm Hall Clo. *Win* —6E **13**
Parchment St. *Win*
  (in two parts) —5C **12** (2D **20**)
Park Av. *Win* —5C **12** (1E **20**)
Park Clo. *Win* —3C **12**
Park Ct. *Win* —3C **12**
Park La. *Abb W* —5F **5**
Park La. *Twy* —4G **19**
Park Rd. *Win* —3B **12**
Park View. *Shaw* —3E **19**
Parliament Pl. *Win* —3G **15**
Partridge Down. *Win* —4F **15**
Pastures, The. *King W* —2D **4**
Paternoster Row. *Win*
  —6C **12** (3E **20**)
Paulet Pl. *Win* —2A **16**
Peacock Pl. *Win* —5E **13**
Pembroke Rd. *Littn* —6G **3**
Pemerton Rd. *Win* —2H **11**
Peninsula Rd. *Win* —6A **12**
Peninsula Sq. *Win* —6B **12** (3B **20**)
Pentice, The. *Win* —3D **20**
Penton Pl. *Win* —1D **16**
Penton Rd. *Twy* —2G **19**
Perins Clo. *Alfd* —5D **8**

Petersfield Rd. *Win* —6D **12**
  (in two parts)
Pilgrims Ga. *Win* —4A **12**
Pilgrims Ho. *Win* —4A **12**
Pine Clo. *S Won* —1D **2**
Pine Clo. *Win* —4F **15**
Pitter Clo. *Littn* —6F **3**
Place La. *Comp* —1E **19**
Plough Way. *Win* —3H **15**
Plovers Down. *Win* —4F **15**
Poets Way. *Win* —5H **11**
Poles La. *Ott* —4A **18**
Portal Rd. *Win* —1D **16**
Port La. *Hurs & Win* —6B **14**
Pound Hill. *Alfd* —3E **9**
Pound Rd. *King W* —3E **5**
Prince's Bldgs. *Win* —2E **20**
Prince's Pl. *Win* —2E **20**
Princess Ct. *Win* —5C **12** (1D **20**)
Prinstead Clo. *Win* —1D **16**
Priors Barton. *Win* —2B **16**
Priors Dean Rd. *Win* —1H **11**
Priors Way. *Win* —4F **15**
Prospect Rd. *Alfd* —5D **8**
Pudding La. *Head W* —6D **4**

Quarry Rd. *Win* —6D **12**
Queens Mead. *Win* —1G **15**
Queen's Rd. *Win* —6H **11**
Queen St. *Twy* —3F **19**

Ramsay Rd. *King W* —4E **5**
Rances Way. *Win* —2A **16**
Ranelagh Rd. *Win* —1B **16**
Rectory La. *It Ab* —3G **7**
Rees Rd. *Wor D* —1G **3**
Regent Clo. *Ott* —5C **18**
Regent Ct. *Win* —3C **12**
  (off Northlands Dri.)
Rewlands Dri. *Win* —1G **11**
Richard Moss Ho. *Win* —1D **20**
Ridgeway. *Win* —2G **15**
Riley Rd. *Wor D* —1A **4**
Ringlet Way. *Win* —5E **13**
Riverside Ho. *Win* —2F **20**
Roberts Clo. *King W* —2D **4**
Robertson Rd. *Alfd* —5E **9**
Rockbourne Rd. *Win* —1H **11**
Roman Rd. *Twy* —3G **19**
Roman's Rd. *Win* —1B **16**
Romsey Rd. *Win* —3C **14** (3A **20**)
Rooks Down Rd. *Win* —2H **15**
Rosebery Rd. *Alfd* —4E **9**
Rosemary Clo. *Win* —5D **12** (2F **20**)
Rosewarne Ct. *Win* —4C **12**
Roundhuts Rise. *Win* —5E **13**
Rowan Clo. *S Won* —1D **2**
Rowlings Rd. *Win* —2H **11**
Royal Oak Pas. *Win* —2D **20**
Roydon Clo. *Win* —2A **16**
Rozelle Clo. *Littn* —6E **3**
Ruffield Clo. *Win* —3G **11**
Russell Rd. *Win* —3C **12**
Russet Clo. *Alfd* —5E **9**

St Annes Clo. *Win* —2G **15**
St Bede's Ct. *Win* —4C **12**
St Catherine's Rd. *Win* —1D **16**
St Catherines View. *Win* —2D **16**
St Clement St. *Win* —6B **12** (3C **20**)
St Clement Yd. *Win* —3C **20**
St Cross Ct. *Win* —2B **16**
St Cross Mede. *Win* —3A **16**
St Cross Rd. *Win* —4A **16** (4C **20**)
St Faith's Rd. *Win* —2B **16**
St George's St. *Win*
  (in two parts) —5C **12** (2D **20**)
St Giles Clo. *Win* —6D **12**
St Giles Hill. *Win* —6D **12**
St James' La. *Win* —6A **12** (3A **20**)
St James' Ter. *Win* —6B **12** (3B **20**)
St James Vs. *Win* —6B **12** (4C **20**)

St Johns Hospital N. *Win* —3F **20**
St Johns Hospital S. *Win*
—6D **12** (4F **20**)
St John's Rd. *Win* —5D **12**
St John's St. *Win* —6D **12** (3F **20**)
St Leonard's Rd. *Win* —1E **17**
St Martin's Clo. *Win*
—5D **12** (2F **20**)
St Martins Ind. Est. *Win* —4D **12**
St Mary Magdalen Almshouses.
Win —6D **12** (4F **20**)
St Mary's Clo. *King W* —6E **5**
St Marys Ter. *Twy* —3G **19**
St Mary St. *Win* —2H **15**
St Matthews Rd. *Win* —3H **11**
St Michael's Gdns. *Win*
—6B **12** (4C **20**)
St Michael's Pas. *Win* —1C **16**
St Michael's Rd. *Win*
—1B **16** (4C **20**)
St Nicholas Rise. *King W* —5F **5**
St Paul's Hill. *Win* —5B **12** (1B **20**)
St Peter St. *Win* —5C **12** (2D **20**)
(in two parts)
St Stephen's Rd. *Win* —3H **11**
St Swithuns Ter. *Win*
—6B **12** (4C **20**)
St Swithun St. *Win* —6B **12** (4C **20**)
St Swithuns Vs. *Win*
—6C **12** (4D **20**)
St Thomas' Pas. *Win*
—6B **12** (3C **20**)
St Thomas St. *Win* —6B **12** (4C **20**)
Salcot Rd. *Win* —3C **12**
Salisbury Rd. *Alfd* —4E **9**
Salters Acres. *Win* —2G **11**
Salters La. *Win* —3F **11**
Sarum Clo. *Win* —6G **11**
Sarum Rd. *Win* —6A **10**
Sarum View. *Win* —6F **11**
Sawyer Clo. *Win* —4F **11**
Saxon Rd. *Win* —4F **11**
School La. *Head W* —6C **4**
School La. *It Ab* —4F **7**
School Rd. *Twy* —3F **19**
Searles Clo. *Alfd* —4F **9**
Searles Hill. *Twy* —3G **19**
Segars La. *Twy* —4F **19**
Selborne Pl. *Win* —2H **15**
Seldon Clo. *Win* —3F **15**
Sermon Rd. *Win* —4F **11**
Shawford Rd. *Shaw* —3E **19**
Sheddon Pl. *Spar* —3B **10**
Shelley Clo. *It Ab* —5E **7**
Shelley Clo. *Win* —5H **11**
Shepherds Clo. *Win* —3F **15**
Shepherds Down. *Alfd* —5E **9**
Shepherds La. *Comp* —3A **18**
Shepherds Rd. *Win* —5E **13**
Sherbrooke Clo. *King W* —3E **5**
Sheridan Clo. *Win* —2G **15**
Shipley Rd. *Twy* —2G **19**
Silkstead La. *Ott* —2A **18**
Silver Hill. *Win* —6C **12** (3E **20**)
Silverwood Clo. *Win* —2H **15**
Silwood Clo. *Win* —4H **11**
Simonds Ct. *Win* —3C **12**
Sleepers Delle Gdns. *Win* —1A **16**
Sleepers Hill Gdns. *Win* —1H **15**

Sleepers Hill Rd. *Win* —1G **15**
Soke, The. *Alfd* —3F **9**
Somers Clo. *Win* —2H **15**
Somerville Rd. *King W* —2E **5**
South Clo. *Alfd* —4D **8**
Southdown Rd. *Shaw* —3D **18**
South Dri. *Littn* —1E **16**
Southgate M. *Win* —6B **12** (4C **20**)
Southgate St. *Win* —6B **12** (3C **20**)
Southgate Vs. *Win* —6B **12** (4C **20**)
South Rd. *Alfd* —4D **8**
South View. *Win* —5A **12** (2A **20**)
Southview Pk. Homes. *Win* —4G **15**
S. View Rd. *Win* —4F **15**
Southwick Clo. *Win* —1H **11**
Sparkford Clo. *Win* —1A **16**
Sparkford Rd. *Win* —1A **16** (3A **20**)
Sparrowgrove. *Ott* —5C **18**
Sparsholt La. *Hurs & Spar* —5A **14**
Spinney, The. *Comp* —2C **18**
Spitfire End. *Win* —5F **13**
Splicer Ct. *Win* —5B **12** (1B **20**)
Spring Gdns. *Alfd* —5E **9**
Springvale Av. *King W* —5D **4**
Springvale Rd. *Head W* —6D **4**
Spring Way. *Alfd* —5E **9**
Spruce Clo. *S Won* —1D **2**
Square, The. *Win* —6C **12** (3D **20**)
Stables, The. *Twy* —3F **19**
Stainers La. *S Won* —1B **2**
(in two parts)
Stanham Clo. *Wor D* —1H **3**
Stanmore La. *Win* —1G **15**
Staple Gdns. *Win* —5B **12** (2C **20**)
Station App. *Alfd* —4F **9**
Station Clo. *It Ab* —4E **7**
Station Hill. *It Ab* —5E **7**
Station Hill. *Win* —5B **12** (1C **20**)
Station Rd. *Alfd* —3F **9**
Station Rd. *Win* —5B **12** (1B **20**)
Station Ter. *Shaw* —2E **19**
Stavedown Rd. *S Won* —1B **2**
Step Ter. *Win* —5A **12** (2A **20**)
Stockbridge Rd. *Win* —4A **2** (1A **20**)
Stockers Av. *Win* —3H **11**
Stockwell Pl. *Spar* —2B **10**
Stoke Charity Rd. *King W* —1D **4**
Stoke Rd. *Win* —2C **12**
Stoney La. *Win* —3H **11**
Stratford Ct. *Win* —3C **12**
(off Northlands Dri.)
Stratton Rd. *Win* —6D **12**
Stuart Cres. *Win* —1A **16**
Sun Hill Cres. *Alfd* —5F **9**
(in two parts)
Sun La. *Alfd* —5F **9**
Sunnydown Rd. *Win* —4E **15**
Sussex St. *Win* —5B **12** (2C **20**)
Sutton Gdns. *Win* —5C **12** (2D **20**)
Swan La. *Win* —5B **12** (1C **20**)
Swanmore Clo. *Win* —2G **11**
Swift Clo. *Win* —2H **15**
Sycamore Dri. *King W* —3D **4**
Symonds St. *Win* —6C **12** (4D **20**)

Tanner St. *Win* —6C **12** (3E **20**)
Taplings Clo. *Win* —2H **11**
Taplings Rd. *Win* —2H **11**

Taylors Corner. *Head W* —6D **4**
Teg Down Meads. *Win* —4F **11**
Temple Dri. *Win* —6E **7**
Terrace, The. *Estn* —6A **6**
Texas Dri. *Win* —5F **15**
Thurmond Cres. *Win* —1G **15**
Thurmond Rd. *Win* —1G **15**
Tichborne Down. *Alfd* —5E **9**
Tilden Rd. *Comp* —4D **18**
Tovey Pl. *King W* —4E **5**
Tower Ct. *Win* —5B **12** (1C **20**)
Tower Rd. *Win* —5B **12** (1C **20**)
Tower St. *Win* —5B **12** (2C **20**)
Trafalgar St. *Win* —6B **12** (3C **20**)
Traveller's End. *Win* —4H **11**
Treble Clo. *Win* —3F **15**
Trussell Clo. *Win* —2H **11**
Trussell Cres. *Win* —2H **11**
Tudor Way. *King W* —3D **4**
Turnpike Down. *Win* —5E **13**
Twyford Ct. *Win* —2H **11**
Twyford Moors. *Twy* —6F **19**

Ullswater Gro. *Alfd* —5F **9**
Union St. *Win* —5D **12** (2F **20**)
Uphill Rd. *Littn* —6F **3**
Uplands Rd. *Win* —2A **12**
Up. Brook St. *Win*
(in three parts) —5C **12** (3D **20**)
Up. High St. *Win* —5B **12** (1B **20**)
Upton Grey Clo. *Win* —2H **11**

Valdean Mobile Home Pk. *Alfd*
—3F **9**
Vale Rd. *Win* —1E **17**
Vale Way. *King W* —2D **4**
Valley Ct., The. *Win* —1H **15**
Valley Hill. *Littn* —6G **3**
Valley Rd. *Littn* —6F **3**
Valley, The. *Win* —1G **15**
Vanguard Hill. *Littn* —5G **3**
Vernham Rd. *Win* —3H **11**
Vian Pl. *King W* —3E **5**
Victoria Rd. *Win* —4B **12**
Villiars Ct. *Win* —3C **20**

Wales St. *Win* —5D **12** (2F **20**)
Walk, The. *Win* —5B **12** (2B **20**)
Walnut Gro. *Win* —4H **11**
Walnut Tree Clo. *S Won* —1C **2**
Walpole Rd. *Win* —2G **15**
Walton Pl. *Win* —2H **15**
Warren Rd. *Win* —5E **13**
Warwick Clo. *Win* —3B **12**
Warwick Ct. *Win* —3C **12**
(off Northlands Dri.)
Water Clo. *Win* —6C **12** (4E **20**)
Watercress Meadow. *Alfd* —5D **8**
Water La. *Abb W* —6F **5**
Water La. *Bis S* —4A **8**
Water La. *Win* —6D **12** (3F **20**)
Waterworks Rd. *Ott* —5C **18**
Watley La. *Spar* —2B **10**
Watley La. *Twy* —3H **19**
Wavell Way. *Win* —2G **15**
Waverley Dri. *S Won* —1D **2**

Waynflete Pl. *Win* —1G **15**
Webster Rd. *Win* —4F **11**
Wedmore Clo. *Win* —4E **15**
Weeke Mnr. Clo. *Win* —3H **11**
Well Ho. La. *Head W* —6A **4**
Welshers La. *Comp* —1C **18**
Wentworth Grange. *Win* —1A **16**
Wesley Rd. *King W* —4E **5**
Wessex Dri. *Win* —3A **12**
W. End Clo. *Win* —5A **12** (2A **20**)
W. End Ter. *Win* —5A **12** (2A **20**)
Western Rd. *Win* —5A **12** (1A **20**)
W. Field Rd. *King W* —2E **5**
Westfield Rd. *Littn* —6F **3**
W. Hill Dri. *Win* —5A **12**
W. Hill Pk. *Win* —5H **11**
W. Hill Rd. *S Won* —1D **2**
W. Hill Rd. N. *S Won* —1D **2**
W. Hill Rd. S. *S Won* —1D **2**
Westley Clo. *Win* —4H **11**
Westley La. *Spar* —1A **10**
(in two parts)
Westman Rd. *Win* —3H **11**
Westminster Ga. *Win* —2F **15**
West St. *Alfd* —3F **9**
Westview Rd. *Spar* —3E **11**
Wharf Hill. *Win* —1D **16**
Wheatland Clo. *Win* —2H **15**
Whitehill La. *Alfd* —5G **9**
White La. *Twy* —1G **19**
Whiteshute La. *Win* —3H **15**
(in two parts)
Wilberforce Clo. *Win* —1G **15**
Willis Waye. *King W* —5E **5**
(in two parts)
Winchester By-Pass. *Win* —1F **3**
Winchester Rd. *Alfd* —4C **8**
Windermere Gdns. *Alfd* —5F **9**
Windsor Ho. *Win* —2F **20**
Windsor Rd. *Alfd* —5E **9**
Winnall Clo. *Win* —4E **13**
Winnall Ind. Est. *Win* —3E **13**
Winnall Mnr. Rd. *Win* —5E **13**
Winnall Valley Rd. *Win* —5E **13**
Winslade Rd. *Win* —1G **11**
Witton Hill. *Alfd* —5E **9**
Wolfe Clo. *Win* —2G **15**
Wolvesey Ter. *Win* —1D **16**
Woodfield Dri. *Win* —1F **15**
Woodgreen Rd. *Win* —1H **11**
Woodland Drove. *Col C* —6G **19**
Woodlands Ct. *Win* —4C **12**
Woodlands, The. *King W* —5E **5**
Woodlea Clo. *Win* —3A **12**
Woodman Clo. *Spar* —3B **10**
Woodman La. *Spar* —3A **10**
Woodpecker Dri. *Win* —3G **11**
Woolford Clo. *Win* —1G **15**
Woolverston. *Win* —4A **12**
Wordsworth Clo. *Win* —5H **11**
Worthy La. *Win* —4B **12**
Worthy Rd. *Win* —4C **12**
Wren Clo. *Win* —2H **15**
Wrights Clo. *S Won* —1C **2**
(in two parts)
Wrights Way. *S Won* —1C **2**
Wykeham Pl. *Win* —2H **15**
Wykham Ind. Est., The. *Win*
—3E **13**